LES GAZ, LES LIQUIDES ET LES SOLIDES

Le Centre des sciences de l'Ontario

Photographies de Ray Boudreau

Traduit de l'anglais par
Marthe Faribault

Données de catalogage avant publication (Canada)

Vedette principale au titre:

Les gaz, les liquides et les solides

(Mes premières expériences)
Traduction de: Solids, Liquids and Gases.

ISBN 2-7625-8253-9

1. Matière - Expériences - Ouvrages pour la jeunesse.
2. Matière - Ouvrages pour la jeunesse. I. Faribault, Marthe, 1952- . II. Centre des sciences de l'Ontario.
III. Collection.

QC173.36.S6414 1995 j530.4'078 C95-941091-0

Bien que le masculin soit utilisé dans le texte, les mots relatifs aux personnes désignent aussi bien les hommes que les femmes.

Texte: Louise Oborne et Carol Gold
Coordination de projet: Valérie Wyatt
Conception graphique: James Ireland et Peter Enneson

Version française

Directeur de collection: Martin Paquet

Dépôts légaux: 4e trimestre 1995
Bibliothèque nationale du Québec
Bibliothèque nationale du Canada

ISBN: 2-7625-8253-9
Imprimé à Hong-Kong

10 9 8 7 6 5 4 3 2

LES ÉDITIONS HÉRITAGE INC.
300, rue Arran, Saint-Lambert (Québec) J4R 1K5
(514) 875-0327

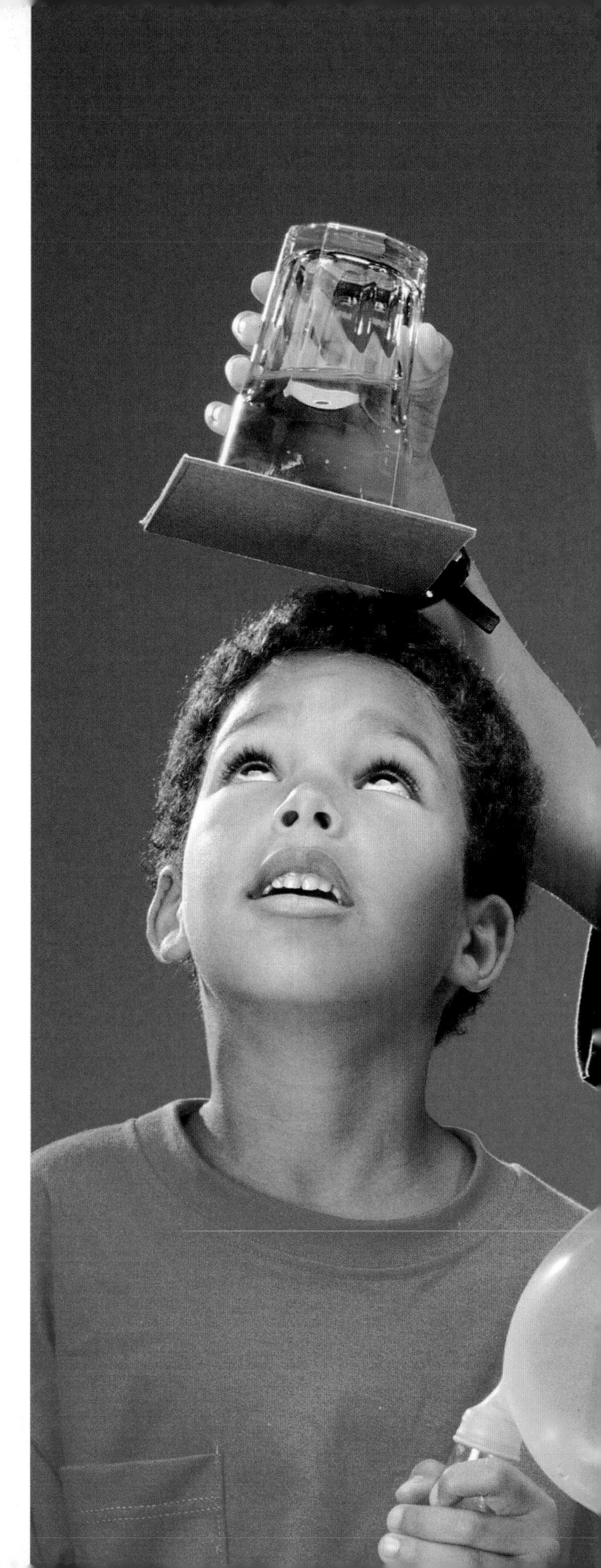

Table des matières

Gonflés, ces ballons !

Tu peux gonfler un ballon avec la bouche. Tu peux aussi le faire d'une autre façon, sans t'essouffler ni te fatiguer.

Il te faut :

- un ballon
- un petit entonnoir
- une cuillère
- du bicarbonate de soude
- du vinaigre
- une petite bouteille de jus ou de boisson gazeuse

Quoi faire :

1. Étire le ballon pour le rendre plus facile à gonfler.

2. Sers-toi de l'entonnoir pour introduire dans le ballon deux grosses cuillerées de bicarbonate de soude.

3. Remplis à moitié la bouteille avec du vinaigre.

4. Place le col du ballon autour du goulot de la bouteille (demande à un adulte de t'aider). Attention : ne laisse pas tomber de bicarbonate de soude dans la bouteille.

5. Tiens le ballon bien droit, de façon que le bicarbonate de soude tombe dans la bouteille.

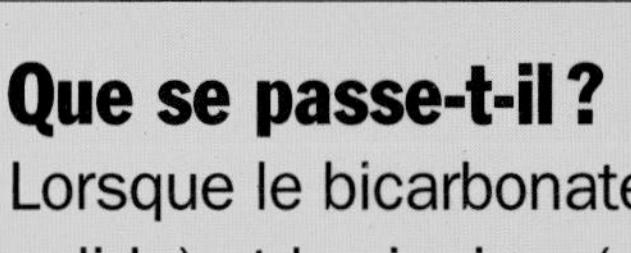

Que se passe-t-il ?

Lorsque le bicarbonate de soude (un solide) et le vinaigre (un liquide) sont mélangés, ils produisent un gaz appelé « gaz carbonique ». Le gaz occupe plus d'espace qu'il n'y en a dans la bouteille. Alors il remplit le ballon, qui se gonfle.

Les solides, les liquides et les gaz

Tout ce qui existe dans le monde est fait de petits éléments appelés « molécules ». La façon dont les molécules sont disposées et dont elles bougent varie suivant qu'il s'agit d'un solide, d'un liquide ou d'un gaz. Rassemble quelques amis et jouez aux molécules.

Tenez-vous par la main et serrez-vous le plus possible (vraiment très près) les uns contre les autres. Ne bougez plus. Vous vous comportez comme les molécules d'un solide.

En vous tenant toujours par la main, écartez-vous afin de pouvoir bouger. Marchez de façon que le groupe change de forme. Maintenant, vous agissez comme les molécules d'un liquide.

Lâchez vos mains et écartez-vous les uns des autres. Courez partout en vous rapprochant de temps en temps. Maintenant, vous vous comportez comme les molécules d'un gaz.

Le sucre cristallisé

Qu'est-ce qui est aussi dur que de la roche et aussi bon qu'un bonbon ? Du sucre cristallisé ! Demande à un adulte de t'aider à mélanger un solide à un liquide pour fabriquer du sucre cristallisé.

Il te faut :

- une petite casserole
- 250 ml d'eau
- 375 ml de sucre, ou plus
- une cuillère en bois
- un verre
- un crayon
- un bout de ficelle de coton propre

Quoi faire :

1. Demande à un adulte de faire bouillir l'eau dans la casserole et de la retirer du feu.

2. Verse le sucre dans l'eau et brasse (sois prudent, car l'eau est très chaude).

3. Lorsque le sucre est fondu, ajoutes-en encore un peu en brassant. Continue cette opération jusqu'à ce que tu voies du sucre flotter à la surface.

4. Laisse l'eau sucrée refroidir un peu, puis verse-la dans le verre.

5. Attache la ficelle autour du crayon. Puis frotte-la avec du sucre de façon que quelques grains y restent collés.

6. Laisse tomber la ficelle dans l'eau sucrée et pose le crayon sur le bord du verre.

7. Mets le verre dans un endroit frais et n'y touche plus.

8. Attends quelques jours, puis retire doucement la ficelle de l'eau. Goûte au solide attaché à la ficelle !

Que se passe-t-il ?

Le sucre n'a pas vraiment disparu. Chaque petit grain de sucre s'est défait en plus petits grains et s'est répandu dans l'eau. Ce phénomène s'appelle la « dissolution ». Lorsque l'eau est chaude, ses molécules sont éloignées les unes des autres. Entre les molécules d'eau, il y a donc de la place pour les petits grains de sucre. Lorsque l'eau refroidit, ses molécules se rapprochent les unes des autres et repoussent le sucre. Les petits grains de sucre se collent alors au sucre qui s'est déjà fixé à la ficelle et ils forment de gros morceaux.

Qu’est-ce qu’un solide?

Les solides sont durs. Ils ne changent pas de forme facilement. Les molécules d’un solide sont serrées les unes contre les autres et ne bougent pas.

La force de l'aimant

Comment faire avancer une voiture qui n'a pas de moteur ? Avec la force d'un aimant !

Il te faut :

- du papier
- des crayons de couleur (ou des crayons feutres)
- des ciseaux
- du ruban adhésif
- un trombone
- une grande feuille de carton mince
- un petit aimant (comme ceux qu'on met sur la porte du réfrigérateur)

Quoi faire :

1. Dessine sur le papier une voiture de la grosseur de celle ci-contre.

2. Découpe-la, puis colorie-la.

3. Colle le trombone à l'arrière de la voiture avec le ruban adhésif.

4. Sur la feuille de carton, dessine des routes, des maisons et des magasins.

5. Pose la voiture sur une route. Tiens l'aimant sous la feuille de carton, juste sous la voiture. Bouge l'aimant pour faire avancer la voiture. Peux-tu la faire circuler sur toutes les routes ?

Que se passe-t-il ?

Un aimant est un solide très particulier qui attire les objets vers lui. Pourquoi ? Parce que l'aimant possède une force invisible, appelée « force magnétique », à laquelle certains objets de métal ne peuvent pas résister. Ta voiture avance parce que le trombone collé à l'arrière est attiré par la force magnétique de l'aimant.

La force d'attraction

Rassemble quelques objets solides, comme une pièce de monnaie, un clou, une boule de papier, une gomme à effacer et un bouton. Essaie de soulever chacun d'eux avec l'aimant. D'un côté, dépose les solides que tu peux soulever et, de l'autre, ceux que tu ne peux pas soulever. Quelle différence y a-t-il entre les objets des deux tas ?

La pêche aux glaçons

Peux-tu retirer un glaçon d'un verre d'eau avec un bout de ficelle, sans faire de nœud ? Impossible ? Voici comment t'y prendre.

Il te faut :

- un petit glaçon
- un verre d'eau froide
- un bout de ficelle d'environ 15 cm de long
- du sel

Quoi faire :

1. Mets le glaçon dans le verre d'eau et attends qu'il s'immobilise.

2. Dépose délicatement une extrémité de la ficelle sur le dessus du glaçon.

3. Saupoudre un peu de sel sur le glaçon, à l'endroit où repose la ficelle.

4. Compte lentement jusqu'à dix, puis tire doucement sur la ficelle. Bravo ! Tu as pêché un glaçon. Si le glaçon tombe, recommence avec un nouveau glaçon et de l'eau propre.

Que se passe-t-il ?

Lorsque tu saupoudres le sel sur le glaçon, ce dernier fond un peu. Une petite flaque d'eau se forme sur le glaçon et la ficelle s'y enfonce. Puis la flaque d'eau gèle et la ficelle reste prise.

Qu’est-ce que la fusion ?

Les molécules d’un solide sont serrées les unes contre les autres et ne bougent pas. Les molécules d’un liquide sont dispersées et peuvent bouger. Quand un solide se réchauffe suffisamment, ses molécules se mettent à bouger et à s’éloigner les unes des autres. Le solide se transforme alors en liquide. C’est ce qu’on appelle la « fusion ».

Des merveilles glacées

Fabrique de la crème glacée à la mode d'autrefois. Par la même occasion, change un liquide en solide !

Il te faut :

- 125 ml de crème 35% froide
- 2 cuillerées à soupe de sucre
- une goutte de vanille
- une tasse à mesurer
- un grand verre de polystyrène de 300 à 350 ml
- de la neige propre (ou de la glace concassée)
- 4 cuillerées à soupe de sel
- 2 bâtonnets en bois
- un petit gobelet de carton de 150 ml

Quoi faire :

1. Mélange la crème, le sucre et la vanille dans la tasse à mesurer. Mets le tout à refroidir dans le réfrigérateur.

2. Remplis au tiers le verre en polystyrène avec la neige.

3. Ajoute le sel à la neige et mélange (inscris une marque sur le bâtonnet afin de ne pas l'utiliser ensuite pour le mélange de crème glacée).

4. Verse le mélange de crème et de sucre de la tasse à mesurer dans le gobelet de carton. Remplis-le aux trois quarts.

5. Au milieu de la neige qui est dans le verre en polystyrène, fais un trou assez grand pour y placer le gobelet de carton. Ajoute ensuite de la neige avec du sel autour du gobelet. Prends garde de ne pas en faire tomber dans le mélange de crème glacée.

6. Brasse énergiquement le mélange de crème glacée avec le deuxième bâtonnet (demande de l'aide, car il faut brasser longtemps).

7. Tout en brassant, gratte le fond et les côtés du gobelet pour qu'aucune particule de glace ne s'y attache. Arrête de temps en temps afin de laisser prendre le mélange de crème glacée. Au bout de 20 minutes environ, la crème glacée sera prête.

Que se passe-t-il ?

Au départ, tu as un mélange liquide de crème et de sucre. Au fur et à mesure que tu brasses, la neige refroidit le liquide qui se change en solide.

Qu'est-ce que la congélation ?

Un liquide devient solide lorsqu'il est très froid. Pourquoi ? Parce que ses molécules se serrent les unes contre les autres et cessent de bouger. C'est ce qu'on appelle la « congélation ».

Les secrets de l'eau

Lequel des trois contenants contient le plus d'eau ? Lis ce qui suit pour le savoir.

Il te faut :

- trois contenants transparents de tailles et de formes différentes, comme un bocal, un plat et un contenant à base évasée
- deux tasses à mesurer
- de l'eau
- du colorant alimentaire
- un ami

Quoi faire :

1. Avant que ton ami arrive, remplis chaque contenant avec 250 ml d'eau.

2. Verse quelques gouttes de colorant dans chaque contenant, puis brasse.

3. Dépose les contenants sur la table. Demande à ton ami de deviner quel contenant renferme le plus d'eau, et lequel en contient le moins.

4. Vide dans une tasse à mesurer le contenant que ton ami a désigné comme le plus rempli et dans l'autre tasse à mesurer le contenant désigné comme le moins rempli. Surprise !

Que se passe-t-il ?

Quand tu verses de l'eau dans un contenant, celle-ci se répand à l'intérieur. Si le contenant est petit, l'eau le remplit. Si le contenant est grand, l'eau en couvre seulement le fond. Pour cette raison, il peut te sembler que le petit contenant contient plus d'eau que le grand.

Qu'est-ce qu'un liquide ?

Les molécules d'un liquide sont attachées les unes aux autres de façon lâche. Elles peuvent bouger pour remplir n'importe quel type d'espace.

Un bateau à savon

Remplis une baignoire et essaie d'y faire circuler un bateau. Utilise du shampoing comme carburant !

Il te faut :

- un crayon
- des ciseaux
- un morceau de carton à surface glacée, comme le côté d'une boîte de céréales
- une baignoire (ou une pataugeoire)
- du shampoing

Quoi faire :

1. Dessine la forme d'un bateau, de la grandeur de ta main, sur un morceau de carton.

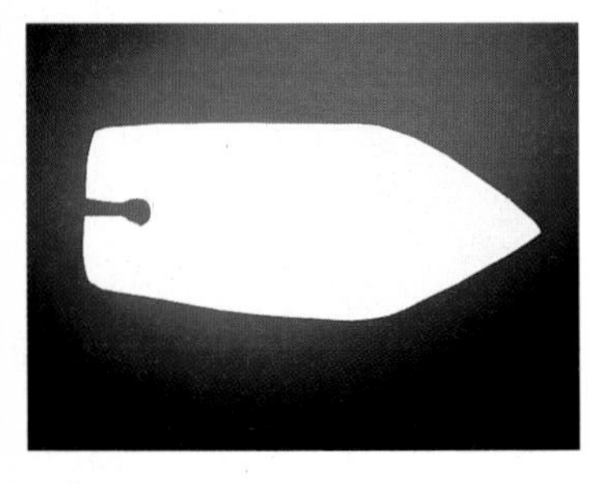

2. Découpe le bateau et fais une encoche à l'arrière.

3. Remplis d'eau la baignoire et attends que la surface de l'eau soit lisse. Dépose délicatement le bateau de carton sur l'eau, le côté glacé vers le bas.

4. Mets une petite goutte de shampoing dans l'encoche à l'arrière du bateau.

Regarde-le avancer ! Lorsque le bateau ralentit, ajoute une goutte de shampoing. Pendant combien de temps peux-tu faire fonctionner ton bateau ?

Que se passe-t-il ?

Les molécules d'eau aiment rester accrochées les unes aux autres. Elles forment une espèce de pellicule à la surface de l'eau. Tu ne peux pas voir cette pellicule ni la toucher, mais elle est bien là. Le shampoing sépare cette pellicule en morceaux. Le bateau avance alors dans l'ouverture, comme la tirette d'une fermeture éclair qu'on ouvre.

Le verre vide

Un verre vide est-il réellement vide ? Si tu réponds «oui», attends-toi à des surprises...

Il te faut :

- une serviette en papier
- un verre

Quoi faire :

1. Bouchonne la serviette en papier et tasse-la au fond du verre. Elle doit y rester même si tu retournes le verre à l'envers.

2. Remplis une cuvette avec de l'eau.

3. Retourne le verre à l'envers, tiens-le bien droit et plonge-le dans l'eau.

4. Compte lentement jusqu'à dix, puis retire le verre de l'eau sans le pencher.

5. Retire la serviette en papier. Est-elle mouillée ?

Que se passe-t-il ?

La serviette reste sèche, car l'eau ne peut pas entrer dans le verre. Pourquoi ? Parce que le verre est déjà plein d'air.

Un truc à couper le souffle

Joue un bon tour à un ami. Insère un ballon dans le goulot d'une bouteille de boisson gazeuse. Retourne le col du ballon sur le goulot de la bouteille. Demande à ton ami de gonfler le ballon. Pourquoi n'y arrive-t-il pas ?

Qu'est-ce qu'un gaz ?

Le verre, de même que la bouteille, est plein d'air. L'air est un mélange de gaz. Essaie de sentir l'odeur des gaz contenus dans l'air. Sors ta langue et essaie de les goûter. La plupart des gaz n'ont ni odeur ni saveur et sont invisibles. Mais nous savons qu'ils nous entourent parce qu'ils occupent de l'espace, tout comme l'air dans la bouteille ou dans le verre.

La force de l'air

Retourne un verre d'eau à l'envers ; l'eau s'échappe. Est-ce toujours vrai ? Pour le vérifier, fais l'expérience suivante.

Il te faut :

- un verre à demi rempli d'eau
- un morceau de carton rigide et plat

Quoi faire :

1. Pose le carton sur le dessus du verre.

2. Avec ta main, appuie le carton bien fort contre le verre.

3. Retourne le verre au-dessus d'un évier, tout en tenant le carton avec la main et en maintenant le verre droit.

4. Retire ta main. Surprise !

Que se passe-t-il ?

L'air pousse sur le dessus, le dessous et les côtés de tout ce qu'il touche. Cette poussée s'appelle la « pression atmosphérique ». La pression atmosphérique exercée sur le carton est plus forte que la pression exercée par l'eau et l'air contenus dans le verre. C'est ce qui empêche l'eau de tomber dans l'évier.

Du givre en été

Du givre en été, cela te semble impossible? Alors, fais l'expérience suivante.

Il te faut :

- une cuillerée de sel d'Epsom (qu'on achète dans les pharmacies)
- 50 ml d'eau très chaude
- un moule à tarte (ou un plat en verre allant au four)

Quoi faire :

1. Verse le sel d'Epsom dans l'eau chaude et remue jusqu'à ce qu'il disparaisse.

2. Verse une petite quantité de cette eau salée dans le moule, pour en recouvrir le fond.

3. Dépose le moule au soleil ou dans un endroit chaud. Laisse-le là pendant quelques heures. D'où vient le givre qui en recouvre le fond?

Que se passe-t-il?

Tu n'as pas fabriqué du vrai givre, mais des cristaux dont la forme ressemble à celle des cristaux de glace. Comment as-tu fait? Le sel d'Epsom se défait en toutes petites particules qui se répartissent entre les molécules d'eau. Quand l'eau s'évapore, les petites particules de sel se regroupent pour former des creux et des bosses au fond du plat. Les particules de sel se regroupent toujours de la même manière, ce qui crée un dessin ressemblant à du givre.

Qu'est-ce que l'évaporation?

En se réchauffant, l'eau s'est changée en un gaz qu'on appelle de la « vapeur d'eau » et qui s'est échappé dans l'air. Ce changement d'un liquide en un gaz s'appelle l'« évaporation ». Le sel ne s'est pas évaporé, il est resté au fond de l'assiette.

Il pleut dans la maison

T'arrive-t-il de rester enfermé toute la journée dans la maison parce qu'il pleut dehors ? D'où vient toute cette pluie ? Découvre-le en faisant pleuvoir dans la cuisine.

Il te faut :

- une louche en métal (ou une grande cuillère)
- une bouilloire remplie d'eau au quart
- des mitaines de four

Quoi faire :

1. Mets la louche dans le congélateur jusqu'à ce qu'elle soit glacée.

2. Demande à un adulte de faire bouillir de l'eau dans une bouilloire.

3. Lorsque l'eau bout, mets les gants et retire la louche du congélateur.

4. Tiens la louche glacée au-dessus du nuage blanc qui sort du bec de la bouilloire. Au bout de quelques secondes, la « pluie » se met à tomber de la louche.

Que se passe-t-il ?

Lorsque le nuage d'air et de vapeur d'eau touche la cuillère, il se refroidit subitement. Ce refroidissement fait que les molécules d'air dans le nuage se rapprochent les unes des autres. L'eau est alors repoussée et tombe en pluie. C'est ce qu'on appelle la « condensation ».

Quand il pleut dehors

Lorsque le soleil réchauffe l'eau des rivières, des lacs, des océans et même des flaques d'eau, de fines gouttelettes d'eau s'évaporent. Cette vapeur d'eau monte dans le ciel et forme des nuages. L'air froid du ciel ne peut pas contenir autant d'eau que l'air chaud. Alors de minuscules gouttelettes d'eau se forment autour des grains de poussière présents dans l'air. Il faut des milliers de ces petites gouttelettes d'eau pour former une goutte de pluie.

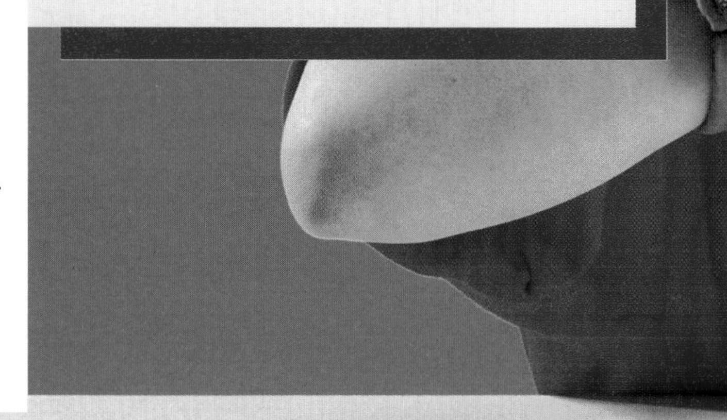

Qu'est-ce que la condensation ?

Lorsque de l'air chaud et humide est mis en contact avec une surface froide, de petites gouttes d'eau se forment. C'est ce qu'on appelle la « condensation ». Souffle sur une vitre froide. Ta respiration est chaude et l'eau qu'elle contient se condense sur la vitre froide.

La danse des raisins secs

Si tu ouvres une bouteille de boisson gazeuse, tu vas entendre un sifflement et voir des bulles. Il y a un gaz qui est dissous dans le liquide. Sers-toi de ce gaz pour faire danser des raisins secs.

Il te faut :

- un verre transparent
- une boisson gazeuse non colorée
- des raisins secs
- une cuillère

Quoi faire :

1. Incline légèrement le verre et verses-y doucement la boisson gazeuse pour que le liquide retienne le plus de bulles possible.

2. Laisse tomber deux raisins secs dans la boisson gazeuse. Regarde-les bouger de bas en haut et de haut en bas.

3. Avec la cuillère, retire les deux raisins secs. Écrases-en un avec le dos de la cuillère, puis remets-les tous les deux dans la boisson gazeuse. L'un d'eux bouge-t-il plus vite que l'autre ?

4. Laisse tomber toute une poignée de raisins secs dans la boisson gazeuse et regarde-les danser.

Que se passe-t-il ?

Les raisins montent au moyen d'un « ascenseur » de bulles. D'où ces bulles viennent-elles ? Les boissons gazeuses contiennent un gaz spécial, appelé « gaz carbonique ». À l'usine de boissons gazeuses, le gaz est introduit dans la boisson à l'aide d'une machine, puis la bouteille est bouchée. Le sifflement que tu entends quand tu débouches la bouteille de boisson gazeuse est le bruit du gaz qui s'échappe.

En s'échappant de l'espace entre les molécules de liquide, le gaz s'accroche aux raisins secs. Quand le raisin est couvert de bulles, il est transporté vers la surface du liquide. Alors les bulles crèvent et le raisin retombe au fond du verre.

La pâte magique

Les apparences peuvent être trompeuses. Cette pâte magique que tu as dans les mains est-elle un solide ou un liquide ?

Il te faut :

- deux ou trois feuilles de papier journal
- une boîte de fécule de maïs
- un petit moule à gâteau
- un pichet d'eau, dans lequel tu peux ajouter du colorant alimentaire
- une cuillère

Quoi faire :

1. Étends le papier journal sur une table.

2. Mets un peu de fécule de maïs dans le moule à gâteau, ajoute de l'eau et brasse.

3. Continue d'ajouter de l'eau en brassant jusqu'à ce que le mélange ait la consistance d'une mayonnaise. Ajoute alors de la fécule et de l'eau en alternance pour obtenir une couche de 1 cm d'épais de cette pâte.

4. Remplis la cuillère du mélange de pâte et laisse tomber cette cuillerée dans le mélange qui est dans le moule. Le mélange s'écoule-t-il ?

5. Frappe du plat de la main le mélange qui est dans le moule. Y a-t-il des éclaboussures ?

6. Ramasse la pâte à pleines mains et roule-la avec les mains de façon à obtenir une boule. Quand tu crois que tu as réussi, retire ta main du dessus. Que se passe-t-il ? Ne jette pas la pâte dans l'évier, mais plutôt dans la poubelle.

Que se passe-t-il ?

La fécule de maïs est faite de millions de particules. Quand tu ajoutes de l'eau à la fécule, les particules flottent librement, en restant éloignées les unes des autres. Les particules de fécule flottant dans l'eau sont un peu comme un groupe d'écoliers qui veulent franchir une porte. Si les enfants forment une ligne et passent chacun à son tour, le groupe franchira la porte aisément. Mais si tout le monde essaie de passer en même temps, le groupe restera bloqué. C'est un peu ce qui se passe avec la pâte magique. Quand tu fais bouger le mélange lentement et sans brusquerie, les particules de fécule glissent aisément les unes contre les autres. Le mélange se comporte alors comme un liquide. Quand tu essaies de faire bouger le mélange rapidement, ou que tu le presses fortement (en le frappant de la main à sa surface ou en le pressant de tes deux mains), les particules de fécule sont poussées les unes contre les autres. Le mélange se comporte alors comme un solide.

Aux parents et aux éducateurs

Les activités proposées dans ce livre ont été conçues dans le but de montrer que la matière se rencontre partout, qu'elle se présente sous trois formes (solide, liquide ou gazeuse) et que les formes que revêt la matière peuvent être changées sous l'influence de certains facteurs. Les questions invitent les enfants à émettre des hypothèses et à les vérifier par une expérimentation.

Gonflés, ces ballons !

Qu'est-ce qu'un solide ? Qu'est-ce qu'un liquide ? Qu'est-ce qu'un gaz ? Avec l'enfant, faites le tour de la maison (ou de l'école) et dressez une liste des solides, des liquides et des gaz que vous trouvez.

Le sucre cristallisé

Quels autres solides se dissolvent dans un liquide ? Prenez plusieurs verres, remplissez-les d'eau et jetez-y différents types de solides : du sel, de la préparation pour boisson au chocolat instantané, du riz, du café soluble et des grains de café. Quels solides se dissolvent ? Qu'ont-ils en commun ?

La force de l'aimant

Dans la plupart des solides, les molécules prennent des directions aléatoires. Dans un aimant, toutes les molécules sont alignées dans la même direction. Fabriquez un aimant en prenant un trombone et en le frottant toujours dans le même sens sur un aimant, environ 50 fois. Le trombone est-il assez aimanté pour attirer d'autres trombones ou d'autres objets métalliques ?

La pêche aux glaçons et Des merveilles glacées

Pourquoi a-t-on utilisé du sel dans ces deux expériences ? Parce qu'il abaisse le point de congélation de l'eau. Lorsque le sel se mélange avec la surface mouillée de la glace, l'eau salée qui en résulte n'est pas assez froide pour rester congelée. En fondant, le mélange se refroidit. Mettez un thermomètre dans un verre rempli de glaçons et ajoutez du sel. La température baisse-t-elle ?

Les secrets de l'eau

Est-ce que tous les liquides bougent de la même façon ? Versez le contenu d'un verre d'eau dans un autre. Combien de temps cela prend-il ? Calculez le temps qu'il faut pour verser d'autres liquides de la même façon : de l'huile à friture, du liquide pour la vaisselle, de la mélasse et du sirop de maïs. La taille des molécules et la façon dont elles s'accrochent les unes aux autres (on dit la « viscosité du liquide ») déterminent la vitesse d'écoulement des liquides.

Un bateau à savon

Remplissez un verre avec de l'eau. L'eau dépasse-t-elle le bord du verre ? Les molécules d'eau s'accrochent les unes aux autres et forment une espèce de pellicule à la surface, ce qui empêche l'eau de se répandre. Laissez tomber une à la fois des pièces de monnaie dans le verre. Combien faut-il de pièces pour rompre la tension superficielle ?

Le verre vide

Qu'est-ce qui prend le plus de place : de l'air chaud ou de l'air froid ? Gonflez un ballon, puis laissez-le se dégonfler. Mettez le col du ballon autour du goulot d'une bouteille vide. Placez la bouteille dans une casserole remplie d'eau chaude. Attendez quelques minutes. Que fait le ballon ? Remplacez l'eau chaude par de la glace. Que fait le ballon maintenant ?

La force de l'air

Refaites l'expérience, mais en remplaçant le carton par un morceau de moustiquaire. La pression de l'air est-elle encore suffisante pour maintenir l'eau à l'intérieur du verre ?

Du givre en été

Faites un concours d'évaporation. Demandez à l'enfant de faire s'évaporer une goutte d'eau en soufflant dessus, en l'éventant avec un éventail ou en la faisant sécher avec un sèche-cheveux ou avec une lampe. Quelle méthode est la plus efficace ? Pourquoi ?

Il pleut dans la maison

Où la vapeur d'eau peut-elle aussi se condenser ? Mettez une petite plante en pot dans un sac en plastique et fermez-le bien. L'eau contenue dans la plante s'évapore et se condense sur les parois du sac.

La danse des raisins secs

Les boissons gazeuses contiennent du gaz. Y a-t-il d'autres aliments qui en contiennent ? Faites des muffins. Les trous à l'intérieur sont causés par le gaz carbonique qui se forme lorsque le bicarbonate de soude se combine avec les ingrédients acides du mélange. D'autres aliments présentent-ils des trous et des vides laissés par un gaz ?

La pâte magique

Qu'est-ce qui peut aider un solide à se changer en liquide ? Dans une casserole, mélangez 250 ml de fécule de maïs, 500 ml de bicarbonate de soude et 375 ml d'eau. Faites cuire jusqu'à ce que le mélange épaississe, versez dans un bol, recouvrez avec un linge humide et laissez refroidir. La consistance de la pâte a-t-elle changé ? Utilisez cette pâte comme pâte à modeler.

Les mots à connaître

air : mélange de gaz, principalement de l'azote et de l'oxygène.

condensation : processus par lequel un gaz passe à l'état liquide.

congeler : faire passer un liquide à l'état solide par l'action du froid.

dissoudre : faire fondre un solide au moyen d'un liquide, en formant une solution.

évaporation : processus par lequel un liquide passe à l'état gazeux.

fusion : processus par lequel la matière passe de l'état solide à l'état liquide sous l'effet de la chaleur.

gaz : état de la matière dans lequel les molécules ne sont pas attachées les unes aux autres et peuvent se déplacer librement dans l'espace. L'oxygène est un gaz.

liquide : état de la matière dans lequel celle-ci peut s'écouler sans difficulté et prendre la forme du récipient qui la contient. L'eau est un liquide.

matière : substance qui occupe de l'espace et qui a un poids. La matière peut prendre diverses formes ; elle peut être solide, liquide ou gazeuse.

molécule : la plus petite partie d'un corps simple, qui ne peut être rompue sans que la composition chimique du corps ne soit modifiée. Toute matière est composée de molécules.

pression de l'air : force exercée par l'air sur tout ce qu'il touche.

solide : état de la matière qui a une forme propre. La roche est un solide.

INDEX